À Hélène
G. C.

À Henri
R.

TYRANOÉ

Texte de **Gilles Chouinard**
Illustrations de **Rogé**

LES ÉDITIONS DE LA BAGNOLE

Une société de Québecor Média
leseditionsdelabagnole.com

Tyranoé n'était pas un tyrannosaure comme les autres. Il était « un peu spécial », comme le disait son entourage. C'est que, dans la tête de Tyranoé, il y avait une petite voix qui savait tout, et avec laquelle il discutait souvent :

– Petite voix, quand tu causes, tu me causes des soucis.

– Comment ça, des soucis ? Ne suis-je pas ton amie ?

– Oui, mais quand je parle de toi, les autres me prennent pour un hurluberlu.

– Oublie les autres et fais ce que je te dis. As-tu fini de construire le bateau comme je te l'ai demandé ?

Tyranoé travaillait chaque jour
à la construction d'une arche.
Selon la petite voix, ce vaisseau
devait lui permettre de survivre
à une terrible tempête qui ferait
bientôt déborder les océans
et engloutirait le monde.

ARCHE

Le soir, épuisé, Tyranoé tombait comme une roche dans son lit.
Ce qui le désolait, c'est que cette rude tâche ne lui laissait guère
de temps à consacrer à son amoureuse, la belle Emzara.

Emzara tenait une auberge, la Caverne du Coin,
où les dinosaures aimaient se rassembler.
Parfois des mauvaises langues cassaient du sucre
sur le dos de Tyranoé :
– Il construit une grosse chaloupe, l'idiot du village !
C'est sa petite voix qui lui en a donné l'ordre !
– Elle doit être bien dans sa tête, la petite voix.
Elle a tout l'espace à elle toute seule !

HA! HA! HA! HA!

« Ils sont méchants et méprisants », pensait Emzara.
Elle aimait Tyranoé justement parce qu'il était différent.

Quand elle vit le fruit de son travail, Emzara fut très impressionnée.

– Elle est magnifique, ton arche !

– J'ai enfin terminé. J'ai bourré sa cale de provisions. On pourrait y survivre des années, répondit fièrement Tyranoé.

– Il faut fêter ça ! dit joyeusement Emzara.

Allons nous balader au Volcan-des-Deux-Mondes.

Tu mérites bien de te reposer un peu maintenant, non ?

Ils empruntèrent le sentier des marcheurs.

Arrivés au sommet du volcan, ils rencontrèrent un jeune homme souriant.

— C'est dommage, on ne voit rien, dit le jeune homme souriant.

— C'est à cause de toutes ces cheminées qui crachent des nuages noirs, observa Tyranoé.

— Oui, des usines fabriquent jour et nuit ce qui est essentiel à l'homme, ajouta le jeune homme souriant.

— Et qu'est-ce qui est essentiel à l'homme ? demanda Emzara.

— Tout.

Sur cette simple réponse, le jeune homme souriant les salua et disparut dans le brouillard.

À cet instant, un éclair déchira le ciel
et la foudre s'abattit sur un arbre. CRAC !
BOUM ! Un fracassant coup de tonnerre
les fit sursauter.

— La catastrophe arrive. Allons vite nous réfugier
dans l'arche ! cria Tyranoé.

Un vent furieux soufflait en rafales et gonflait les nuages.
Une pluie diluvienne se mit à tomber, provoquant de
dangereuses coulées de boue.

Le ciel était enragé et fit s'abattre sur la terre
un déluge destructeur.

Au moment même où Tyranoé et Emzara
atteignaient l'arche, un gigantesque cyclone
les emprisonna dans son œil fou et ils furent
transportés, virevoltant très loin de leur terre.

Le cyclone mourut dans l'océan.

Naviguant au milieu de ce qui restait du monde,
Tyranoé et Emzara sauvèrent de la noyade
des familles de toutes origines.

Durant des mois, ils voguèrent sur un océan
infini sans le moindre îlot à l'horizon.

Par une nuit douce et calme, alors que tous les passagers
de l'arche dormaient à poings fermés, des dizaines de sirènes
entourèrent le navire et se mirent à chanter en chœur :

Ô toi qui vogues
Viens dans mes bras
Ô toi qui dors
Tu es à moi
Ô toi qui vogues
Ô toi qui dors
Disparaissons
Dans les grands fonds

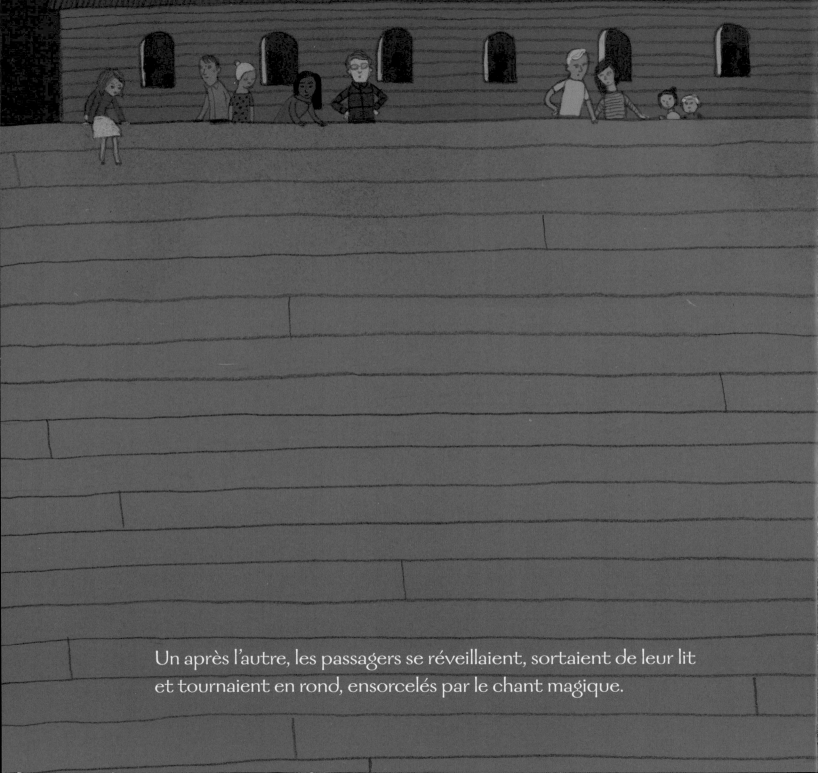

Un après l'autre, les passagers se réveillaient, sortaient de leur lit
et tournaient en rond, ensorcelés par le chant magique.

Bientôt, ils se jetteraient par-dessus bord et tomberaient
entre les mains des sirènes, qui les entraîneraient dans les abysses.

C'est alors que la petite voix cria très fort
dans la tête de Tyranoé pour le réveiller :
— Lève-toi vite, Tyranoé ! Sonne la cloche
et alerte tout le monde, les sirènes sont là !

Tyranoé se précipita sur la cloche et la fit tinter
avec fracas. DING! DING! DING! DING!!!
Mais les sirènes n'abandonnèrent pas. Elles se mirent
à chanter plus fort pour attirer les somnambules :

Ô toi qui vogues
Viens dans mes bras
Ô toi qui dors
Tu es à moi
Ô toi qui vogues
Ô ma victime
Disparaissons
Dans les abîmes

Tout semblait perdu pour les rescapés
de l'arche, quand une chose incroyable survint.
Des centaines d'exocets – de puissants
poissons volants – s'abattirent sur les sirènes.
Effrayées, elles s'enfuirent en criant.

Soulagés, Tyranoé et Emzara remercièrent le chef des exocets.

– D'où vient cette branche d'olivier ? demanda Emzara.
Nous n'avons pas vu la moindre parcelle de terre depuis le déluge.

Les poissons volants se regroupèrent pour guider Tyranoé vers la terre ferme. L'arche semblait flotter comme la nacelle d'une merveilleuse montgolfière.

Ils accostèrent sur une plage sauvage où des animaux de toutes sortes vivaient en liberté. Un continent nouveau où les hommes pourraient recommencer...

Les rescapés quittèrent l'arche le regard rempli d'espoir. Ils embrassèrent Tyranoé et Emzara, et les saluèrent chacun dans leur langue :
– Merci et au revoir ! Goodbye ! Hasta la vista ! Arrivederci ! Farvel ! Auf wiedersehen ! Näkemiin !...

En les regardant s'éloigner, Tyranoé eut cette pensée : « Pauvres humains, ils n'ont plus rien de ce qui leur est essentiel. Comment vont-ils survivre ? »

La petite voix répondit :
– Fais-leur confiance.

GILLES CHOUINARD ET ROGÉ
AUX ÉDITIONS DE LA BAGNOLE :

Tyranono, une préhistoire d'intimidation
Le Tyrano nez rouge, une préhistoire de Noël
Tyrano de Bergerac, une préhistoire d'amour

Catalogage avant publication de Bibliothèque et Archives nationales du Québec
et Bibliothèque et Archives Canada

Chouinard, Gilles, 1957-

    Tyranoé
    Pour les jeunes.
    ISBN 978-2-89714-130-1

    I. Rogé, 1972- . II. Titre.

PS8605.H67T96 2016jC843'.6   C2015-942147-0
PS9605.H67T96 2016

DISTRIBUTION EN AMÉRIQUE DU NORD
Canada et États-Unis :
Messageries ADP Inc.*
2315, rue de la Province
Longueuil (Québec) J4G 1G4
Pour les commandes : 450 640-1237
messageries-adp.com
*Filiale du Groupe Sogides inc. ;
filiale de Québecor Média inc.

DISTRIBUTION EN EUROPE
France :
INTERFORUM EDITIS
Immeuble Paryscine
3, Allée de la Seine
94854 Ivry-sur-Seine Cedex
Pour les commandes : 02.38.32.71.00
interforum.fr

Belgique :
INTERFORUM BENELUX SA
Fond Jean-Pâques, 6
1348 Louvain-La-Neuve
Pour les commandes : 010.420.310
interforum.be

Suisse :
INTERFORUM SUISSE
Route A.-Piller, 33 A
CP 1574
1701 Fribourg
Pour les commandes : 026.467.54.66
interforumsuisse.ch

GROUPE VILLE-MARIE LITTÉRATURE VICE-PRÉSIDENT À L'ÉDITION
Martin Balthazar

DIRECTION LITTÉRAIRE ET ARTISTIQUE
Jennifer Tremblay

INFOGRAPHIE
Clémence Beaudoin

LES ÉDITIONS DE LA BAGNOLE
Groupe Ville-Marie Littérature inc.
Une société de Québecor Média
1055, boulevard René-Lévesque Est,
Bureau 300
Montréal (Québec) H2L 4S5
Tél. : 514 523-7993, poste 4201
Téléc. : 514 282-7530
Courriel : info@leseditionsdelabagnole.com
leseditionsdelabagnole.com

Les Éditions de la Bagnole bénéficient du soutien de la Société de développement des entreprises culturelles du Québec (SODEC) pour leur programme d'édition.
Gouvernement du Québec – Programme de crédit d'impôt pour l'édition de livres – Gestion SODEC
Nous remercions le Conseil des arts du Canada de l'aide accordée à notre programme de publication.

Financé par le gouvernement du Canada
Funded by the Government of Canada

Canadä

Merci à Michel Therrien pour sa précieuse collaboration

Imprimé au Canada